마음이 아픈 아동을 위한 책

JN458251

꿈과 희망을 잃은 아동을 도우려면

부모, 교사, 아동전문가를 위한

가이드북

글
마곳 선더랜드

그림
니키 암스트롱

번역
편집부

한국심리치료연구소

Helping children pursue their hopes and dreams

by Margot Sunderland & Nicky Armstrong

꿈과 희망을 잃은 아동을 도우려면

발행일 · 2007년 9월 15일
지은이 · 마곳 선더랜드와 니키 암스트롱
옮긴이 · 이재훈 외
펴낸곳 · 한국심리치료연구소
등록 제 22-1005호(1996년 5월 13일)
주소 · 서울시 종로구 적선동 156 (광화문플래티넘 918호)
Tel · 730-2537, 2538 Fax 730-2539
http://www.orips.net E mail: orips@orips.net

ISBN 978-89-87279-67-1 74180
ISBN 978-89-87279-51-0(전19권)

국립중앙도서관 출판시도서목록(CIP)

꿈과 희망을 잃은 아동을 도우려면 / 글: 마곳 선더랜드 ;
그림: 니키 암스트롱 ; 번역: 이재훈 외. --
서울 : 한국심리치료연구소, 2007
p. ; cm

원서명: Helping children pursue their hopes and dreams
원저자명: Sunderland, Margot
참고문헌 수록
ISBN 978-89-87279-67-1 74180
ISBN 978-89-87279-51-0(세트)

183.2-KDC4 CIP2007002710

꿈과 희망을 잃은
아동을 도우려면

목 차

이 가이드북은 마곳 선더랜드의 동화, **꿈을 이룬 콩이**와 함께 활용하여야 한다.

글쓴 이

마곳 선더랜드
런던 아동 정신건강 센터 소장. 영국 치료상담 협회 아동 및 청소년 분과 책임자.
런던 지역 초등학교를 대상으로 "상처가 있는 곳에 도움을"이라는 연구 프로젝트 수행.
통합적인 예술 심리치료사 공인 및 아동 심리치료 상담사, 감독, 훈련전문가 공인.

현재, 치료와 교육을 위한 예술대학 학장. 이 학교는 아동 심리치료사 자격증과 예술 심리치료 석사학위를 수여하는 공인된 교육기관임.

저서: 시집-「춤에 관하여」(루틀리지 출판사)
성인치료를 위한 매뉴얼,「당신의 감정을 그려 보세요」(스피치마크 출판사)

그린 이

니키 암스트롱
미술전공 석사. 현재, 런던 헴스테드 예술학교 교사.
순수미술 분야에서 국제적인 명성을 얻고 있음.

옮긴 이

이재훈 Ph.D
종교와 정신분석 분야 박사. 뉴욕 대상관계 정신분석 연구소 학술회원. 현 서울 대상관계 정신분석 연구소 소장. 한국 상담학회 정신분석 분야 감독. 한국 목회상담 학회 감독. 번역활동을 통해 한국에 대상관계 이론을 본격적으로 소개한 바 있으며, 정신분석 심리치료사 및 아동 심리치료사 양성에 힘쓰고 있음.

이효숙 M.A. Ed
서울대학교 미술대학 졸업
미국 일리노이대 미술대학원 미술교육 석사
대상관계 심리치료사

박영란 M.Ed
연세대학교 교육대학원 석사
대상관계 심리치료사

임말희 DEA
서울대학교 불어교육과 졸업
파리8대학 불문과 박사과정

가이드북의 활용

꿈을 이룬 콩이라는 동화가 가진 치료적 잠재력을 충분히 활용하려면, 그 동화와 짝을 이루는 이 가이드북이 꼭 필요하다. 우리는 아동에게 동화를 들려주기 전에 당신이 먼저 이 책을 읽어 볼 것을 강력하게 권고한다. 그러면 당신은 훨씬 더 필요한 지식을 갖춘 상태에서 아동에게 다가갈 수 있을 것이며, 보다 풍부하고 공감적인 반응을 해줄 수 있을 것이다.

이 가이드북은 동화가 담고 있는 문제와 주제들에 관련해서, 일반적인 심리학적 근거뿐 아니라 가장 적절하다고 여겨지는 심리 치료적 이론들을 상세히 설명하고 있다. 아동에게 동화를 읽어주기 전에 이 책을 읽는 것은, 아동이 그러한 문제를 갖게 된 원인에 대해 알지 못한 채, 또는 선입견을 가진 채 접근하는 것을 방지해줄 것이다. 예를 들어, '죠의 학교 성적이 떨어진 것은 분명히, 몇 달 전 집을 떠난 아빠를 그리워하기 때문일 거야'라는 추측은 정확할 수도, 부정확할 수도 있다. 학교에서 죠가 문제를 보이는 것은 미처 생각하지 못한 많은 다른 이유 때문일 수도 있다. 그 문제는 대부분의 심리적인 문제들이 그렇듯이, 아주 복잡한 것일 가능성이 많다. 닫혀있거나 아주 좁은 관점을 갖고 접근한다는 것은, 도움을 주려는 어른들이 세상에 대한 **자신의** 감정과 관점을 아동에게 투사할 위험이 매우 높다는 것을 의미한다.

의식적으로 아동에게 잔인한 부모는 매우 드물다. 부모 역할이 뭔가 잘못 되는 것은, 흔히 부모들이 아동 심리나 아동 발달에 대해 꼭 알아야 할 것들을 **모르고** 있거나, 부모 자신의 성장과정에서 결여된 것이 있기 때문이다. 아동 심리학, 심리치료 그리고 과학적 연구를 통해 얻어진 효과적인 자녀양육 방법과, 이에 대한 정보가 부모역할에 관한 책, TV, 혹은 간행물을 통해 부모에게 전달되는 것 사이에는 유감스럽게도 여전히 거리가 있다. 그러므로 이 가이드북의 목적은 부모들을 비난하기보다는 지원하려는 것이다. 보다 일반적인 목적은, 아동을 돌보는 사람은 **누구나**, 대개 최선을 다하는데도 불구하고, 때로 얼마든지 일을 그르칠 수 있다는 것을 인식시키는 데 있다. 그리고 또한, 어떻게 하면 처음부터 올바르게 아동을 도와줄 수 있는지, 일이 잘못 되었을 경우 어떻게 바로 잡을 수 있는지를 알려주는 데에 있다.

이 가이드북에는 동화가 담고 있는 문제와 주제들에 맞서 싸우고 있는 아동들의 진술, 그리고 그들이 놀이를 통해 자신의 문제들을 실연하며 만들어 낸 이야기들이 실려 있다. 그리고 **꿈을 이룬 콩이**를 읽어 준 후에 할 수 있는 여러 가지 이야기와 활동들을 제시한 부분이 포함되어 있다. 제시된 이야기와 활동들은, 아동이 동화가 담고 있는 특정 문제와 주제들에 관련된 자신의 감정을 생각해보고, 표현해보고, 나아가 소화시킬 수 있도록 특별히 고안되었다. 어떤 연습들은 아동이 자발적으로 자신의 이야기를 만들어 보게 함으로써, 그들의 감정에 대해 좀 더 표현하도록 격려하기 위해 고안되었다.

아동들은 자신이 느끼는 것을 일상적인 언어로 자연스럽게 말하지 못한다. 그러나 신뢰하는 어른들과 같이 있을 때에는, 자신의 감정을 보여주고, 실연하고, 그림이나 놀이로 매우 훌륭히 표현해낸다. 그러므로 이 가이드북이 제시하는 연습들은 대부분 아동이 창의적이고, 상상력이 풍부하고, 재미있는 방식으로 자신을 표현하도록 격려하고 있다. 또한 너무 많은 질문으로 아동의 정서적 삶을 심문하는 것을 피하기 위해, 어떤 연습들은 단지 네모 칸에 표시를 하거나, 가리키거나, 여러 개 중에서 단어나 그림을 고르도록 되어 있다.

들어가면서

이야기의 내용

콩이는 꿈을 가진 완두콩이다. 콩이는 자신의 삶에 대한 멋진 계획을 가지고 있다. 사람들은 콩이에게, '너는 그저 평범한 완두콩에 지나지 않기 때문에 꿈은 아무 소용도 없다'고 말한다. 그러나 그녀는 그저 평범한 완두콩으로 살고 싶지 않았다. 그것이 때로 매우 외롭고 자신이 알고 있는 모든 것을 포기해야 한다는 것을 의미할지라도, 콩이는 꿈을 저버리지 않았다. 그녀는 친절한 사람들의 도움으로 마침내 자신이 늘 꿈꿔왔던 것을 이룰 수 있었다.

이야기의 주된 심리적 메시지

☆ 온갖 역경을 만나더라도 꿈을 포기하지 말라. 오로지 꿈을 성취하는데 더 많은 에너지를 쏟으라.

☆ 실현되지 않은 잠재력을 묻어두지 말라. 가서 실현하라!

☆ 지금 현실이 힘들고, 답답하고, 절망적으로 느껴지더라도 한계를 넘어서는 꿈은 모든 것을 바꿀 수 있다.

☆ 꿈이 이루어지기 위해서는 먼저 꿈을 가져야 한다.

☆ 모든 아이디어는 꿈에서 나온다.

☆ 주위 사람들이 자신의 꿈과 희망에 대해 비관적이고 용기를 꺾는 말만 한다면, 낙관적인 격려의 말을 해줄 사람을 찾아라.

☆ 꿈을 이루기 위해 시간과 에너지를 쏟는다면, 빛나는 새로운 세상을 향한 문이 활짝 열릴 것이다. 그러나 그저 일이 일어나기만을 기다린다면, 아무런 변화도 없이 단조롭고 죽은 삶이 될 것이다.

☆ 아동기에 형성된 꿈들은 도피성 환상과는 다르다. 그 꿈들은 훗날 실제 현실로 이루어져, 깊이 있고 열정적인 삶을 살 수 있게 한다.

이야기의 대상이 되는 아동

이 이야기는 다음과 같은 아동을 위한 것이다.

☆ 격려를 거의 받지 못해서 꿈과 희망을 추구하지 않는 아동

☆ 너무 낙담하고 좌절해서 꿈과 희망을 추구하지 못하는 아동

☆ 아무것도 하려 들지 않는 아동

☆ 원하는 것을 얻기 위해 투쟁할 의지가 없는 아동

☆ 살아남기에 급급해서 감히 꿈과 희망을 가질 여유가 없는 아동

☆ 꿈과 희망을 남의 일처럼 생각하는 아동

☆ 실패가 두려워 꿈을 좇지 못하는 아동

☆ 원하는 것이 있지만, 자신이 무엇을 느끼는지 모르기 때문에 무엇을 원하는지 모르는 아동

☆ 다른 사람의 꿈을 따라 다른 곳을 헤매는 아동

☆ 성공에 대한 두려움 때문에 작은 꿈으로 만족하는 아동

아동이 꿈을 추구하도록 도와야 하는 이유

보통 학교 교육과정에서는 꿈과 희망을 키우는 문제-개인의 가장 깊은 소망을 포기하지 않음으로써 자기 자신을 포기하지 않는 것-에 거의 시간을 할애하지 않는다. 그러나 충만한 삶을 사는데 필요한 주된 요소는 자신을 위한 꿈을 꾸는 것이다.

꿈을 추구할 수 있는 능력, 즉 마음속에 있는 꿈의 씨앗을 세상에서 열매 맺게 하는 능력은 매우 중요한 것이다. '다른 세상을 상상할 수 있는 능력'은 그 세상이 어떤 것이든 간에 삶을 풍부하고 다채롭게 한다. 눈앞에 놓여진 것만 가지고 다음일이 자동적으로 펼쳐지기를 기다리며 살아가는 대신, 꿈꾸고 상상하는 능력을 사용하면서 살아가는 것은 가능성의 지평, '현재 너머에 있는 곳'에 대한 시각을 열어준다. 그러므로 지금 현실이 매우 힘들고 답답하고 삭막하게 느껴질 지라도 꿈은 모든 것을 펼쳐줄 수 있다. 그리고 심한 고생을 하며 힘들어 할 때도, 꿈은 희망, 그리고 '이제 머지않아' 행운이 올 것이라는 기대를 가져다준다. 많은 성인들은 자신을 위한 꿈을 꾸는데 매우 서툴다. 그들은 인생에 대한 계획보다는 크리스마스나 여름휴가 계획을 세우는데 훨씬 많은 노력을 쏟는다.

'나는 커서 … 하고 싶다'와 같은 중요한 생각을 하지 않고 그저 세상을 떠도는 삶의 방식에 익숙해진 아동은, 성인이 되어서도 '그냥 어쩌다 그 여자와 결혼하게 되었어요', '나도 모르게 빚과 도박에 빠졌어요', '전망이 없는 직장에서 그냥 하루하루 지내요'라고 말하면서, 자신과 전혀 맞지 않는 상황이나 직장 또는 관계 안에서 표류할 수도 있다. 반면에 꿈을 갖도록 도움을 받고 그 꿈을 이루어가는 방법을 배우게 되면, 아동은 더욱 흥미를 갖고 미래를 기대하며 살 수 있을 것이다.

아동이 치료적인 이야기나 부도, 교사, 치료자로부터 얻는 격려는 그의 내적 세계에 뚜렷한 영향을 미치며, 아동의 상상력에 그리고 자신의 잠재력을 인식하는 데 실제로 영향을 줄 수 있다. 아동의 내면세계에 뿌려진 씨앗은, 은유적으로 말해서 아동이 집을 떠나기 전까지는 활짝 꽃을 피우지 않을지 모른다. 하지만 이렇게 어린 시절에 '뿌린 씨앗'은 이후의 삶에 큰 영향을 미칠 수 있다. 한 마디로 상상력에 대한 교육은 인지교육 만큼이나 중요한데도 별로 신임을 얻지 못한다. 그래서 꿈을 이룬 콩이와 같은 치료적인 이야기가 필요한 것이다.

의심하는 사람들은 '하지만 부모가 매질을 하는 비참한 현실로 다시 돌아와야 한다면, 이렇게 꿈을 꾸며 시간을 보내는 게 무슨 소용이냐?'고 물을 것이다. 이런 회의주의자들은 아동이 외부세계뿐만 아니라 내면세계도 가지고 있음을 잊고 있다. 그들의 내면세계에서 일어나는 일은 외부세계에 상당한 영향을 미친다. 외부세계에서 일어나는 일에 정서적인 의미를 부여하는 것은 아동의 내면세계이다. 왜냐하면 내면세계에서 역경을 헤쳐 나가는 능력이 더욱 강해지느냐, 약해지느냐 하는 것은 희망의 느낌이 가득 차느냐, 고갈되느냐에 달려 있기 때문이다. '나는 해낼 거야' 혹은 '사람들에게 보여주겠어!'라는 감정들은 내면세계에서 힘을 얻기도 하고 얻지 못하기도 한다. 영웅들에 대해 생각하고 그들과 동일시하는 것 또한, 이 내면세계 안에서 일어난다. 교사나 친절한 친척에 의한 따뜻한 격려와 인정의 순간들이 소중히 보관되고, 되풀이되고, 자양분으로 이용되는 것도 바로 이 내면세계에서이다.

매우 문제가 많은 배경을 가진 아동들의 삶에서는 꿈을 갖는 일이 특히 중요할 수 있다. 외부세계에서 참을 수 없는 무력감과 절망감을 느낄 때, 내면세계에서 희망을 갖게 하거나 지속하게 하는 것이 바로 꿈이기 때문이다. 꿈을 갖는다는 것은 외부의 고통스러운 삶과는 전혀 다른 세계를 마음속에 가질 수 있다는 것을 뜻한다. 이 다른 세계는 도피하기 위한 것이 아니라, 훗날 현실로 이루어질지도 모를 꿈을 위해 초석을 만들고 다지기 위한 것이다.

자신의 꿈과 희망에 대해 격려 받지 못한 아동의 삶

> 우리는 성장할 것인지, 정지할 것인지 아니면 쇠퇴할 것인지 선택할 수 있다. 그러나 성장하도록 격려해주지 않는 세상에서 우리 대부분은 충분히 또는 전혀 성장할 수 없을 것이다. (Rowan, 1986, p13)

많은 아동들과 성인들은 저마다 은밀한 꿈을 품고 있다. 그러나 또 바로 이것이 꿈이 남아있는 방식이다-은밀한 것으로. 사실은 엄청난 잠재력을 가지고 있음에도 불구하고, 꿈은 너무나 흔히 '그저 꿈'으로 머무른다. 아주 많은 아동들과 성인들에게는 꿈을 현실로 옮길 수 있는 용기와 자신에 대한 믿음이 부족하다. '충분한 꿈'이 없거나 꿈을 이룰 충분한 에너지와 의지가 없어서 열매를 맺지 못하는 비극적인 삶을 너무나 흔히 볼 수 있다. 대부분의 경우 이는 그들이 삶에서 거의 격려를 받지 못했기 때문이다.

꿈을 이룬 콩이에서 콩이의 아버지는 그녀에게 좌절감만을 주었다. 너무나 많은 아동들의 꿈이 진지하게 받아들여지지 않거나, 적극적인 반대에 부딪치거나 혹은 모욕과 조롱을 당하는 것이 사실이다.

내트, 7세

교사가 내트에게 (내트가 그린 잠수함을 보면서): '와, 아주 멋지구나!!'
내트: '아니, 그럴 리가 없어요. 아빠가 나는 바보랬어요. 저 바보 맞지요?'
(이렇게 따뜻하고 격려하는 교사와 함께 지낸 내트는 학년이 끝날 때쯤, 머릿속을 차지하고 있던 비난하는 아버지를 믿는 대신 자기 자신을 믿을 수 있었다.)
내트가 교사에게: '선생님, 내 슈퍼 우주선 좀 보세요!, 엔진이 무지 강해요. 나를 태우고 어디든지 갈 수 있는 그런 우주선이에요.'

격려해주는 사람이 없을 경우 내트와 같은 아동은 꿈과 희망을 포기한 채, '아무 소용도 없어', '뭘 하러 해', '별 것도 아닐 거야, 항상 그랬어', '나는 쓸모가 없어', '나는 제대로 하는 게 하나도 없어' 등과 같은 신념체계를 발달시키기 쉽다. 달리 말해, 일을 해 보려는 동기가 너무 낮고 끝까지 밀고나갈 능력이 없는 것, 맥 빠지고 무관심하거나 흥미가 없는 것, 자존감이 매우 낮고 반사회적인 행동을 하게 되는 것 등은 아동의 착상과 꿈, 희망을 거의 격려해주지 않거나 때로는 적극적으로 좌절시켰기 때문이다.

> 어린 아이가 날고 싶어 할 때 우리는 '사람은 날 수 없어'라고 말하지 않는다. 그 대신 아이를 안아 올려서 머리 위로 빙 한 바퀴 돌려준 다음 장롱 위에 앉혀놓아, 마치 자기 둥지로 날아든 새처럼 느끼게 해준다. (Winnicott, 1949)

꿈과 희망을 포기하거나 아예 갖지 않게 되는 이유

너무 좌절해서 꿈과 희망을 따르지 못하는 아동

> 빛나는 별이여, 나도 그대만큼 한결같을 수 있다면 … (키이츠)

외상이 될 정도의 실망이나 적극적인 좌절을 너무 많이 겪은 아동은 (처음에는 실제로 꿈이 있었다 해도), 너무도 쉽게 꿈과 희망을 포기할 수 있다. 세상에 대한 긍정적인 인식이 깨지게 되면, 자신이 꿈꿔왔던 보다 나은 세상에 대한 희망을 포기할 수 있다. 그렇다면 왜 어떤 아동은 수많은 고통과 상처에도 불구하고 자신의 꿈을 잃지 않는 것일까?

아동기에 매우 단단하고 깊은 사랑으로 연결된 사람이 있다면, 아동은 혹독한 역경과 외상 또는 낙담을 경험하더라도 좌절의 늪에 빠지지 않는다. 그의 내면세계에는 여전히 빛, 희망, 선함이 살아 있는데 이 모든 것은 꿈꾸는 능력에 핵심적인 요소이다. 사랑으로 연결된 관계야말로 꿈의 씨앗이 열매를 맺기 위해 꼭 필요한 정서적 에너지원이다. 사랑으로 연결된 관계는 가장 힘겨울 때에 계속해서 아동을 지탱해준다. 이것 없이는, 삶은 하나의 커다란 투쟁이 될 것이다. 그 관계가 부모, 보모나 교사, 또는 전혀 예상외의 인물과 맺어진 것이라 하더라도, 아동은 그로부터 '나는 세상에 값진 것을 줄 수 있어, 나는 능력이 있어'라는 인식을 갖게 된다.

사랑으로 연결된 관계를 전혀 경험한 적이 없거나 그 관계가 비참하게 깨진 경험을 한 아동은, 삶에 대한 창조적인 노력이 방해를 받거나 아예 차단될 수가 있다. 이러한 아동의 삶은 자기파괴와 자기의심, 자기증오에 의해 심한 타격을 받을 수 있다. 사랑으로 다져진 튼튼한 토대가 없는 이러한 패배적인 아동은 대개 칭찬이나 격려를 얻으려고 하지 않는다. 어떤 아동은 화조차도 내지 않는다. 분노에는 삶과 희망이 있다. 분노는 저항을 의미하고, 이는 포기와는 반대되는 것이기 때문이다.

패배적인 아동은 전의를 상실한 부상병과도 같다. 그는 자리에서 일어나 원하는 것을 쫓아가기에는 너무나 허약하다. 이렇게 우울한 생명력 없는 상태는 성인들뿐 아니라 많은 아동에게도 널리 퍼져 있다. 우울은 꿈꿀 여지를 남겨두지 않는다.

그렇다면 무엇이 아동을 그토록 패배시키는가? 보편적인 원인들은 다음과 같다.

☆ 아동이 지배, 비난, 경멸, 모욕 또는 굴욕과 같은 상호작용을 너무 많이 경험했다.

☆ 아동은 자신의 삶에서 중요한 사람을 기쁘게 해줄 수 없다고 느꼈고, 또 자신을 기쁘게 해줄 수 있는 중요한 사람에게서 밝은 표정을 거의 보지 못했다.

☆ 아동이 아무리 **애를 써도** 엄마나 아빠가 그를 자랑스러워하지 않는다고 느꼈다.

☆ 아동은 유아기에, 반응을 이끌어내는 자신의 능력에 대해 너무나 많은 희망과 신뢰를 잃었다. 그의 울음은 엄마를 데려오지 못했거나 너무 늦게 데려왔다. 울음이 계속 응답을 받지 못하면 아기는 결국 울음을 그친다. 흔히들 이것을 좋은 현상으로 생각하지만 실제로는 아기가 패배했다는 것을 뜻한다.

☆ 초기 아동기에 한쪽 또는 양쪽 부모와의 연결이 너무 미약했거나 문제가 많았다.

☆ 아동에게 특정한 방식을 요구하거나 강요하는 성인들이 많았다.

☆ 중요한 어른들이 **자신의** 생명력과 흥분, 열정을 두려워해서 아동을 격려할 수가 없었기 때문에, 아동 안에 있는 불꽃이 활활 타오르지 못했다.

☆ 삶에서 가장 중요한 사람과 이별하거나 사별하여, 깊은 사랑으로 연결된 관계가 외상이 될 정도로 깨어졌다. 아동이 그 관계로부터 사랑과 힘, 선함을 받아들여 자신의 것으로 만들기도 전에 관계가 깨지는 것을 경험하거나, 다른 사랑의 관계들을 갖지 못하면, 꿈을 위한 에너지원에 문제가 생긴다.

위와 같은 이유들로 수많은 좌절을 경험한 아동이 고통을 겪고 있을 때에 '기운 내!', 'TV 좀 그만 보고 딴 걸 좀 해 봐' 또는 '재밌는 걸 찾아 봐, 취미나 모임이나'라고 말하는 것은 아무 소용이 없을 것이다. 낙관주의를 부추기는 것은 핵심을 놓치고 있는 것이다. 실존주의 심리치료사인 얄롬이 말했듯이, '새로운 어떤 것, 즉 진기함이나 아름다움 또는 조화로움을 창조해내는 일은 무의미한 느낌에 대한 강력한 해독제'이다. (Yalom, 1980, p435) 이것 역시 삶에서 너무 일찍 패배한 아동에게는 아무 의미가 없다. 대개 이들은 무언가 창조해내고 싶은 충분한 활력을 가지고 있지 않다. 학업, 작곡이나 그림, 굉장한 물고기나 이야기, 이런 모든 것들이 무의미하게 느껴질 수 있다. 때로 이들은 자신의 사랑이 부모에게는 무가치하고 죽은 것이라고 느꼈기 때문에, 자신이 창조한 것은 뭐든지 무가치하거나 죽은 것일 거라고 느낀다. 깊은 패배감을 맛본 많은 아동들은, 자신이 대상에게 영향을 끼칠 수 있는 능력이 있다는 것을 믿지 못한다.

많은 좌절을 겪은 아동은 일을 시작하더라도 곧 도중에 싫증을 느낀다. 여덟 살 난 존은 처음에는 흥미를 갖고 시작하지만, 15분후에는 에너지가 떨어져 창밖을 응시하곤 했다. 상담 중에 그는 배터리가 약해서 '가고 싶은 언덕까지 자신을 데려다 줄 수 없는' 자동차에 대한 이야기를 만들었다. 존의 어머니는 매우 우울했다. 그는 결코 어머니를 기쁘게 할 수 없다고 느꼈다.

여기서 어떻게 일부 패배적인 아동이 한 순간에 불사조처럼 다시 살아나, '뭔가 보여주겠어!'라는 삶의 태도로 옮겨가는지 설명할 필요가 있다. 프로이드는 1926년에 쓴 글에서 이러한 방어를 '반동 형성'이라고 불렀다 (Freud, 1979를 보라). 삶의 어떤 지점에서 견딜 수 없는 패배감과 무력감을 느꼈던 일부 아동들은, 종종 전혀 예상치 못하게, 완전히 다른 삶의 태도로 옮겨간다. 시간이 지나면 이들은 견딜 수 없는 패배감으로부터 자신을 강력하게 방어하겠다는 무의식적 선택을 하고는 유능함과 성공, 심지어 명예까지 추구하게 된다. 어떤 사람들은, '엄마가 나를 사랑하도록 만들 수 없다면, 대신 세상이 나를 사랑하도록 만들겠다'고 결심한다. 여러 유명한 영화배우나 운동선수들처럼, 마릴린 먼로도 전형적으로 이런 경우에 속한다. 이러한 아동들의 믿을 수 없이 강한 욕망은 그저 놀라울 뿐이다. 그러나 비극적이게도 이들이 그토록 방어하고 있는 패배감은, 여전히 이들을 따라다니며 방해하고 이들의 행복을 상당 부분 잠식한다. 어떤 사람들은 성인기에 이르러 이를 인식하고 전문가의 도움을 찾기도 한다.

투쟁할 의지를 잃었기 때문에 꿈과 희망을 추구하지 않는 아동

중요한 것은 단지 생각에 잠겨 있는 것이 아니라, 그 생각이 행동으로 결실을 맺는 것이다. 나는 행동을 통해서, 내가 누구인지를 발견할 것이다. (데카르트)

꿈과 희망을 뒷받침하기에는 의지가 너무 약하다면, 최초의 영감을 현실화하는데 필요한 행동을 밀어붙일 정서적 에너지원이 거의 없을 것이다. 의지가 없는 소망은 아무런 결과도 가져오지 못한다. 의지가 없는 끊임없는 소망은 결국 공상이나 도피적인 환상에 빠지고 만다. 반면에 의지에 의해 에너지를 공급받은 행동은 즉시 소망을 추구한다. 그것은 더 이상 현실도피가 아니다.

불행하게도 어떤 아동은 의지가 너무 약해서, '귀찮아', '관심 없어' 하면서 나태하고 지루한 상태에 빠져있다. 사실 그들은 너무 수치심을 느끼거나 좌절 했을 뿐인데도 종종 '게으른 아이'로 오해를 받는다. 아동의 게으름은 대체로 나태함을 가리키는 것이 아니라 외상이나 무기력감, 의지가 손상됐음을 가리킨다.

무엇이 아동의 의지를 그렇게 손상하는 것일까? 대략 두 살과('못 말리는 두 살') 청소년기는 의지와 저항의 능력이 왕성하게 발달하는 중요한 단계이다. 왜 이러한 발달단계가 잘못되어 이후의 삶에서 박약한 의지를 갖게 되는지에 대해서는 다양한 이유들이 있다.

이런 자연스러운 반항의 단계에서, 때로 어떤 아동은 부모가 너무 두려워 의지의 싸움에 뛰어들지 못한다. 또는 부모가 권위가 실추될까봐 두려워 아동에게 겁을 주는 방식으로 자신의 우위를 주장하기도 한다. 때로 아동은 가정이나 학교에서 수치스러움을 너무 자주 경험한다. 부모는 아동이 순응할 때만 사랑하거나, 인정하거나, 자랑스러워할 거라는(보통 비언어적인) 메시지를 보낼 수도 있다. 어떤 부모들은 아동의 고집스러운 행동과 독립적인 자기가 너무 위협적으로 느껴져서, 전적인 순응 외에는 전혀 받아들이지 못하기도 한다. 실제로 어떤 부모들은 '기를 꺾어놔야 돼요'라고 말하기도 한다. 또는 부모나 다른 가족들(손위 형제들)이 소리를 치거나, 과장하거나 위협을 가해 자신의 의지를 관철시키기도 한다. 결과적으로 아동은 자신의 감정을 주장하기보다는 다른 사람의 감정과 타협하면서 삶을 살아가게 된다.

자신의 감정을 모르기 때문에 자신이 원하는 바를 모르는 아동

이들은 자발적인 감정, 충동 그리고 세상에 대한 탐구가 다른 사람에 의해 심하게 통제되었던 아동이다. 달리 말해 스스로 원하거나 꿈을 꿀 수 없는 아동들은, 삶이 과도하게 통제당하거나 정서적, 신체적으로 숨 막히는 관심을 보이는 성인들에 의해 침범 당한다고 느꼈던 아동들이다. 이들은 자신이 원하는 방식으로 반응하고, 탐구하고, 행동하고, 느끼고, 사랑할 수 있는 정서적, 신체적 공간을 가져보지 못했다.

자신이 느끼는 것을 알지 못하기 때문에 스스로 꿈을 꿀 수 없는 아동들 중에는, 그들과 조율하지 못하는 둔감한 부모를 가진 아동들이 있다. 예를 들면, 아동이 매우 만족스럽게 앉아있을 때 갑자기 들어올린다든지, 장난감에 몰두해 있을 때 껴안는다든지, 혹은 안아달라고 울부짖을 때 오히려 바닥에 내려놓는 부모들이다. 이와 유사하게 어떤 부모들은 아동이 장난감을 갖고 놀고 있을 때, 끊임없이 '교육적인' 관심을 쏟으면서 도움이 될 거라고 생각한다. 그러나 사실은 아동의 자발적인 반응들을 질식시키고 있는 것이다.

> B가 자연스럽게 잘 놀고 있을 때마다 엄마나 아빠가 그의 놀이를 떠맡아 자신들의 놀이로 각색해 버린다면, B는 자기(self)의 한 요소인 놀 수 있는 능력이 추출되는 경험을 하게 될 것이다... 부모가 그 장난감의 의미를 앗아갔기 때문이다. (Daws, 1997, p180)

이런 인식하지 못한 침범이 가진 위험성은, 아동이 자신이 무엇을 원하는지 전혀 모르게 되어 버린다는 것이다. 그는 다른 사람이 무엇을 원하는지, 혹은 그들이 자신에게 무엇을 바라는지만을 알고 있는 사람으로 자랄 수 있다. 다음은 부모가 아동의 자발적인 표현을 침범하고 있는 전형적인 사례들이다.

☆ '얘야, 이것 좀 보렴 (그것 말고)!'
☆ '아냐, 블록을 이렇게 쌓아. 그렇게 하지 말고...'
☆ '아냐, 그 조각은 여기 들어가는 거야, 거기 집어넣으면 안 돼.'
☆ '아니, 그건 안 돼, 이걸 줄게.'
☆ '이제 이걸 갖고 놀아.'
☆ ' 아니, 넌 그렇게 느끼지 않아! 넌 이렇게 느끼고 있어.'
☆ '너는 그냥 피곤한 거야.'
☆ '하지 마, 안 돼, 그것도 안 돼...'
☆ '넌 너무 느려, 내가 대신 해줄게.'

이런 식으로 통제당한 결과, 아동은 '나는... 할 수 있어', '자, 내가 어떻게....하는지 보세요', '내가 한 것 좀 보세요' 등과 같은, 자기 인식에서 오는 기쁨을 모두 잃어버릴 수 있다. 더욱이 성인과 아동 사이에서 예상되는 즐거운 상호작용도, '공동-창조'에 도달하지 못하고 참담한 실패로 이어지게 된다. 이러한 일이 상당 기간 동안 계속 반복된다면, 아동은 삶에 열정적으로 뛰어드는 능력을 잃어버리거나 아예 그러한 능력을 형성할 수 없게 된다. 대신 그의 에너지는 예상되는 침범이나 실제 침범을 물리치는데 소진될 것이다.

> F부인이 벤의 기저귀를 갈아주는 동안, 벤은 자신의 발을 발견하고는 입으로 가져가려고 애썼다. 벤이 그것을 즐기는 것처럼 보인 엄마는, 그의 발을 장난스럽게 잡아당겨 좀 힘주어 그의 입에 갖다 대주었다. 그러자 벤은 칭얼거리면서 발을 갖고 노는 것을 멈추었다. 잠시 후 그는 유모차를 발견하고, 그 끝을 씹으려고 팔을 뻗쳤다. 그가 유모차로 돌아가고 싶어 한다고 생각한 F부인은 그를 유모차 안에 앉혔다. 그는 등을 대고 편안히 자리를 잡은 다음 담요에 누워 그 것을 기분 좋게 빨려고 하는 것처럼 보였다. 그러자 엄마는 장난감에 흥미를 갖게 하려고 애썼고, 그는 곧 다시 불만스러워졌다. 벤은 침범당한다고 느낄수록 자신을 최대한 '사물'로 만드는 것 같은 인상을 주었다. 그는 다음에는 어떤 일이 일어날지 몰라 멈춰 있는 사람 같은 표정을 짓고 있었다.
> (Gluckman, 1987, p347)

다른 사람의 꿈을 좇아 다른 곳을 떠도느라 꿈을 꾸지 못하는 아동

> 다른 사람들이(어머니, 늭) 직업선택이나 결혼 같은 개인적인 결정을 부추겼다. 나는 그저 그들에게 맞추어 살기로 나 자신을 설득했고, 그것을 나의 개인적인 결정이라고 불렀다. (Thrail, 1994, p186)

어떤 아동들은 자신을 향한 부모의 꿈은 아주 분명히 알면서도 정작 자신의 꿈에 대해서는 알지 못한다. 이는 대개 그들이 **자신의** 착상과 주도권과 꿈에 대해서 독립적으로 생각하고 느끼도록 격려를 받아 본 적이 없기 때문이다.

삶에서 매우 이른 시기에, 자신이 무엇이(의사라든가) 되어야 한다는 생각이 아동에게 심어 질 수 있다. 때로 이것은 의심의 여지도 없는 가족의 전통일 수도 있다. 간혹 부모들은 자신의 이루지 못한 꿈을 자녀를 통해서 실현하고 싶어 한다. 이유야 어떻든, 그 생각은 아동에게 성공적으로 심어지고 아동은 그것이 자신의 꿈이라고 믿게 된다. 어머니나 교사의 의견 혹은 다른 중요한 영향들 모두가 아동의 마음속에서 너무도 쉽게 내면의 목소리가 되어, '옳은 길'을 지시하며 일생동안 그를 따라다닌다. 대개 아동은 자신에게 무엇이 최선인지 알고 있다고 말하는 부모나 교사들을 존경하는 태도를 갖는다. 슬프게도 많은 아동들이 이처럼 **자신의** 꿈을 잃어버리거나, 무엇보다 우선해서 추구하지 못한다.

많은 아동들은 이처럼 '다른 사람의 꿈을 좇아' 다른 사람의 계획에 따라 살고 있기 때문에, 어느 시점에 가면 추진력과 흥미를 잃어버린다. 처음에는, 부모의 인정을 얻기 위해서 부모의 꿈을 좇는 데 엄청난 에너지를 쏟을 것이다. 그리고는 얼마 후에, 왜 자신이 그토록 공허하고 학업에 흥미가 없어졌는지 의아하게 여길 것이다. 몇 년 후, 의과대학을(혹은 이와 비슷한) 중도에 포기하고 나서야 그는 비로소 그것이 결코 **자신의** 꿈이 아니었음을 깨닫는다.

이런 내력을 가진 아동이 정말로 자신이 원하는 것을 발견할 수 있도록 도움을 받는다면, 진정한 에너지와 의욕이 샘처럼 솟아날 것이다. 하지만 이러한 배경을 가진 아동이 치료적 도움을 받지 못하면, 자신의 꿈을 발견하지 못하고 불행히도 자신이 원했던 삶을 한 번도 살아보지 못한 채 노년기에 이른다.

살아남기에 급급해 꿈을 가질 여유가 없는 아동

아무도 극복하도록 도와주지 않은 두려움과 불안, 슬픔과 분노로 가득 찬 아동은, 긍정적인 상상의 세계로 들어갈 만큼 충분한 정서적 자유가 없다. 이들의 마음은 살아남기에 급급해 심리적 여유가 없다. 예를 들어, 한 아동은 아빠가 엄마를 때리는 것을 보고 세상이 너무 나쁘다고 생각했고 그 결과, 세상에 조금이라도 좋은 것이 있다는 믿음을 잃어버렸다. 세상이 선하다는 충분한 희망이 있을 때, 비로소 아동은 자신의 꿈을 추구할 수 있다.

정서적인 고통을 너무 많이 겪었기 때문에 정서적인 삶을 차단하고 머릿속에서 사는 아동도 있다. 이것은 더 많은 고통과 상처로부터 안전한 피난처를 제공하지만, 종종 그 대가로 어떤 것에 대해서 고양되거나 생생한 느낌을 가질 수가 없게 된다. 이러한 아동은 무감각하거나 죽어 있는 것처럼 보일 수 있다. 정서적인 고통을 너무 많이 겪은 아동은 창조적인 환상이나 꿈 또는 정말로 좋은 어떤 것을 소망하지 않은 채 파괴적인 환상(예를 들어서 내일 누군가를 괴롭힐 생각)에 빠져들 수 있다.

무의식 속에서 평범해지기로 결심한 아동

아동 중에는, 의식 수준이든 무의식 수준이든, 꿈을 좇는 것이 그들 자신의 이야기가 아니라 다른 사람들의 이야기로만 느껴지는 아동이 있다. 그들은 학교에서 굳이 뭔가 하려 하지 않으며, 때로는 외모에도 신경을 쓰지 않거나 완전히 개의치 않을 수도 있다. 이런 과정에서 이들은 평범해지기로, 소위 에릭 번이 말하는 '진부한 삶의 각본'을 따르기로 무의식적인 결정을 내린다. (Stewart & Johne, 1987, p107에서 인용)

여러 번 수치스러운 경험을 한 아동들은 그들 자신, 그들이 한 것 또는 그들이 한 말에 대해서 더욱 창피를 당할 거라고 예상하기 때문에 남의 눈에 띄지 않으려고 한다. 학교와 집에서 반복적으로 수치심을 느꼈던 열 살 소년은 자기는 '덤불 속에 숨어 살고 있으며,' 죽을 때까지 눈에 띄지 않은 채로 살 수 있다면 정말 좋을 것 같다고 말했다.

어떤 아동은 자신의 힘과 능력을 파괴해버리거나 스스로를 평범하고 시시한 사람으로 만들어, 가족들 중 다른 누군가가 뛰어나고 비범하거나 아름다워질 수 있도록 자진해서 '무대'를 떠난다. 달리 말하자면, 이들은 부모나 형제들에게 위협이 되지 않기 위해, 그들을 능가하지 않기 위해, 자신의 생명력을 질식시킨다. 이는 대개 완전히 무의식적으로 이루어진다. 이들은 '여기에는 우리 둘 다 성공할 수 있는 공간이 없어' 또는 '네가 아주 영리하니까 나는 상대적으로 아주 바보 같아'라는 믿음을 발달시켰을 수가 있다. 아니면 가족 중 지배적인 사람이 '네가 감히 나를 넘보다니' 혹은 '여기에서는 내가 영리한 [또는 아름다운] 사람이니까 저리 비켜'라는 메시지를 눈치 챘을 수도 있다. (이러한 메시지는 현실에 근거한 것일 수도 있고, 성공한 형제나 부모에게 상상으로 투사한 것일 수도 있다.) 때로는 가족 구성원에게 시기심이나 질투를 불러일으킬까봐 두려워 평범해지기로 결심하기도 한다.

어떤 이유에서건, 이들은 결코 무도회에 갈 수 없었던 신데렐라의 삶을 너무나 현실적으로 실연하고 있는 아동들이다. 이들이 상담이나 치료를 통해 '진부한 삶의 각본'으로부터, 즉 평범해지겠다는 결심으로부터 풀려나는 데는 상당한 시간이 필요하다. 이를 위해서는 그들을 진심으로 믿어주는 교사나 어른이 있어야만 한다.

실패가 두려워 꿈을 좇지 않는 아동

때로 아동은 자신만의 꿈을 꾸지 않거나 있다 해도 추구하지 않는데, 그것이 너무 위험하게 느껴지기 때문이다. 그 위험이란 실패하거나, 비난받고 조롱당하거나, 모욕을 받는다는 것을 의미한다. 따라서 적극적으로 꿈이나 목표를 따라가는 것 보다는 그냥 되는 대로 가만히 있는 편이 훨씬 더 안전하고 불안을 덜 자극한다. 이러한 아동은 다른 아동들이 꿈을 실현하는 것을 단지 구경할 뿐이다. 이들은 꿈을 이룬 사람들에 대한 영화를 보거나 책을 읽는데 그치고 만다.

> 자신만의 꿈을 창조해내지 못한 수많은 아동들처럼, 그는 자신이 고른 책을 읽으며 다른 사람의 환상들을 음미하고 즐겼다. 그 환상들은 그 자신이 동경하고 있는 것들을 부호화하여 이야기라는 구조로 담아내고 있었기 때문이었다. (Person, 1996, p22)

'꿈을 이룬 콩이'를 읽어준 뒤에 아동과 함께 할 수 있는 활동들

이 부분은 아동에게 콩이 이야기를 읽어준 뒤에 할 수 있는 활동들, 그리고 나눌 수 있는 이야기들을 제공한다. 특히 과제와 게임과 연습들은 아동이 이야기의 주제에 대해 생각하고, 표현하고, 그에 대한 자신의 느낌을 더 많이 소화할 수 있도록 고안된 것이다.

앞에서도 논의했듯이, 아동은 대개 자신이 느끼는 바를 분명하고 충분하게 일상적인 언어로 이야기하지는 못하지만, 행동으로 보여주거나 실연하거나 그림이나 놀이로 매우 훌륭히 표현해낸다. 그러므로 여기에 제시되어 있는 대부분의 연습문제들은 창조적이고 상상적이며 놀이적인 표현방식을 지원하고 있으며, 또한 아동이 스스로 이야기를 만들어 반응하도록 격려하고 있다.

지나치게 많은 질문을 피하기 위해서 (아동은 심문을 받는다고 느끼기 쉽다), 어떤 연습문제들은 단순히 네모 칸에 표시를 하거나 단어 또는 그림을 고르도록 되어있다.

참고 과제와 연습문제들은 일정한 순서에 따라 하도록 정해져 있지 않다. 또한 한 번에 너무 많은 것을 하면 아동이 질려버릴 염려가 있다. 그러므로 특정 아동에게 적합하다고 생각되는 것을 아동의 연령과 그 주제에 대한 개방성 정도를 고려하여 선택하면 될 것이다. 아동을 위한 설명은 회색 글상자 안에 제시되어 있다.

☆ 여러분의 꿈은 어디에 있나요?

여러분은,

꿈이 바닥났나요? ☐

처음부터 어떤 꿈도 가져본 적이 없나요? ☐

자신과 자신의 삶을 위한 꿈을 꾸는 일에 더 이상 시간을 쓰지 않나요? ☐

만약 여러분이 꿈을 잃어버렸다면, 어떻게 콩이처럼 되찾을 수 있을까요?

글로 쓰거나 그림으로 그려보세요.

학교 교과과정에는 자신이 무엇이 되고 싶은지, 또는 무엇을 하고 싶은지에 대해 이야기를 나누거나, 이러한 꿈에 대해 상상해보는 시간을 가질 여유가 거의 없다. 그러므로 아동이 자신의 꿈이나 새로운 꿈에 대해 생각할 수 있는 시간을 갖도록 하는 것은 매우 중요하다. 어떤 아동들은 꿈과 희망, 소망을 가지고 있다 하더라도 너무나 은밀하고 은근해서, 입 밖에 꺼내지 않거나 자신조차도 알지 못하게 한다. 게다가 꿈에 대해서 생각만 하는 것은 대개 너무 무미건조하다. 꿈은 예술의 형태로 구체화할 수 있을 만큼 충분히 상상의 나래를 펴는 시간을 가질 때에만 생생하게 경험된다. 다음 연습들은 아동이 꿈을 마음속에 그려보도록, 깨어 있으면서도 꿈을 꾸도록 돕기 위한 것이다.

☆ 콩이처럼 여러분의 꿈이나 소망을 그려보세요.

◎ 콩이처럼 여러분의 꿈을 그려보세요.

◎ 누가 여러분의 세 가지 소원을 들어준다면, 어떤 일이 일어날까요? 그림으로 그려보세요.

◎ 그림으로 그려진 자신의 꿈과 희망을 보니 어떤 느낌인가요?

◎ 꿈과 희망을 포기하지 않도록, 마음속에 안전하게 간직할 수 있는 방법은 무엇일까요?

◎ 누가 여러분의 꿈과 희망을 꺾을지도 모르나요? 그렇다면 여러분은 무엇을 할 수 있을까요?

◎ 여러분이 꿈과 희망을 이루도록 도와줄 수 있는 사람은 누구일까요?

◎ 여러분이 바라던 대로 꿈과 희망을 이룰 수 없다면, 그 대신 무엇을 할 건가요? 자신의 꿈과 희망을 이룬 많은 사람들이 항상 처음 꾸었던 것과 꼭 같은 꿈을 이루는 것은 아니랍니다. 조금 달리 이루기도 하지요.

☆ 마법의 나라로

마법의 나라에 갔다고 상상해 보세요. 그리고 그림으로 그려보세요.
그곳에 누구를 초대하고 싶은가요? 거기서 무엇을 하고 싶은가요?

☆ 꿈으로 가는 길

아동이 꿈을 향해 가는 길에 어떤 것이 예상되는지 알고 있으면, 꿈 여행을 계속하는데 도움이 된다. 다음은 꿈을 향해 갈 때 흔히 만나게 되는 단계들이다. 아동에게 그림 1을 복사해준다.

◎ 꿈을 이루기 위한 첫 단계는 꿈을 꾸는 거예요!

◎ 마음속에 꿈의 씨앗을 뿌리세요. 마치 여러분의 꿈이 이루어진 것처럼 상상해 보는 거예요. 무엇이 느껴지나요? 무엇을 하고 있나요? 꿈이 이루어졌을 때 여러분은 어디에, 누구와 함께 있나요?

◎ 꿈을 위한 길을 가다 보면 장애물, 꿈을 꺾는 사람들, 가시 돋친 사람들, 장벽처럼 느껴지는 사람들과 문제들, 벌판에 있는 것 같은 외로움, 이런 힘든 일들을 만나기도 해요. (여기에서 포기하지 말아요. 사람들은 곧 뭔가가 나타날 거라는 희망을 잃어버리기 때문에 여기서 포기한답니다.)

◎ 가다보면 좋은 일도 생길 거예요. 친절한 사람들이나 여러분을 북돋워주는 사람들, 여러분의 꿈을 도와줄 사람들, 또는 얼마나 여러분이 꿈을 이루기를 원하는지 잘 알고 있는 사람들을 만나기도 하지요.

이제 '꿈으로 가는 길'이라는 그림에 색칠을 하세요.

여러분이 벌써 꿈을 향해 길을 가고 있다면, 도중에 이런 것들을 만나기 쉬울 거예요. 대부분의 사람들은, 꿈을 향해 가는 동안 언젠가는 이런 것들을 만난답니다. 이 중에서 여러분이 이미 만났던 것이 있다면 색칠해 보세요.

가시 돋친 사람들
꿈을 꺾는 사람
장벽 같은 장애물이나 문제들
벌판에 홀로 있음
친절한 사람
힘을 북돋워 주는 사람
꿈을 도와주는 사람
얼마나 꿈을 이루기 원하는지 잘 아는 사람

그림 1 꿈으로 가는 길

☆ 꿈 여행의 두 단계

'꿈 여행의 두 단계'라는 그림을 보세요. 이것은 꿈을 이루어 가는 도중에 보통 만나게 되는 두 개의 단계에 대한 거예요. 여러분은 이 단계에 대해 교훈을 얻었기 때문에, 혹시 이 단계들을 만나게 되면 기억이 날 거예요.

한 것은 없지만 좋은 단계

여러분이 꿈을 향해 갈 때, 잠시 마음을 쉬도록 해야 하는 단계가 있어요. 연구에 따르면 세상에서 가장 성공한 사람들은 항상 일만 하는 사람들이 아니라, 일도 하고 놀기도 하는 사람들이라고 해요. 일을 위한 가장 멋진 생각은 대개 노는 시간에 떠오른답니다. 놀이는 마음속에 여유를 가져다주기 때문에 갑자기 좋은 생각이 튀어나오거든요. 여러분이 그냥 흘러 가는대로 맡겨두거나, 놀거나, '빈둥거릴' 시간도 없이 일만 계속 한다면 마음속에는 정말 신나는 새로운 생각이나 아이디어가 생겨날 기회가 없게 되요.

한 것도 없이 비어있는 단계

이 단계는, 어떤 신나는 새로운 생각이나 아이디어도 가져다주지 않기 때문에 아무것도 만들어내지 못하고 텅 비어 있는 단계예요. 이것은 무언가를 만들어 내기 위해 비어있다기 보다는 그저 비어있어요. 이것은 몹시 무거운 느낌을 준답니다.

참고 한해 묵힌 땅에서 새로운 작물이 풍성하게 수확된다는 것을 아동에게 설명해주면 좋을 것이다. 이것은 마음의 밭에도 마찬가지로 적용된다. 니체(1993, p11)는 '좋은 것들은 모두 뭔가 게으른 구석이 있어서, 풀밭의 소들처럼 누워있다'고 말했다.

바깥세상은 아직 아무 것도 달라진 게 없는 것처럼 보이지만, 마음속에서는 새로운 계획과 아이디어, 창조적인 생각들이 활발하게 일어나고 있기 때문에 이것은 좋은 단계랍니다.

그림 2
꿈 여행의 두 단계

한 것도 없이 비어있는 단계는 아무 것도 가져다주지 못하기 때문에, 이롭고 창조적이기보다는 텅 비어 있어요. 무언가 만들어내기 위해 비어있기보다는 그저 비어있어요. 그것은 몹시 무거운 느낌을 주지요. 꿈에 대한 신비한 느낌을 잃어버렸거나, 누군가가 그것을 짓밟았을 때, 이런 단계로 들어갈 수 있어요.

☆ 재빨리 이야기 짓기

꿈을 깨뜨리려 하거나 비난하는 목소리들이 마음속으로 들어올 시간이 없도록, 빠른 시간 내에 다음 이야기를 짓고 그것을 그림으로 그려보세요.

나는____

____할 수 있으면 좋겠다.

언젠가 나는____

____하고 싶다.

내가 어른이 되었을 때 하고 싶은 것은______________________________

____이다.

내가 정말로 되고 싶은 것은______________________________

____이다.

나 자신과 내 삶에 대해 바라는 것은______________________________이다.

나의 소원을 이루기 위해 지금 내가 하려고 하는 것은

____

____

____

____

____

____

☆ 희망에 대해

여러분은 죽기 전에 무엇을 하고 싶은가요?

여러분은 무엇으로 기억되고 싶은가요?

여러분의 희망은 무엇인가요? 지금 없다면, 전에는 있었나요? 그 희망은 어떻게 사라지게 되었나요?

여러분의 희망이나 소원을 누군가가 억누르거나 짓밟은 적이 있나요? 그렇다면, 갖고 있던 희망을 이처럼 잃어버린 느낌이 어떤 것이었는지 그림으로 그려 보세요.

☆ 시간 여행

현재 여러분의 삶을 그림으로 그려보세요. 다음엔 여러분이 소망하는 삶을 그려보세요. 이제 그림 두 장을 나란히 놓고 여러분을 나타내는 작은 인형을 하나 고르세요. 그 인형을 '현재의 삶'을 그린 그림에서 '소망하는 삶'을 그린 그림으로 옮겨가면서, 어떻게 '소망하는 삶'으로 가게 되었는지 이야기를 만들어 보세요.

'옛날 옛적에 … ' 하면서 이야기를 시작하는 거예요.

☆ 꿈을 향해 가는 아동에게 도움이 되는 말

◎ 두려움을 느껴라, 그리고 부딪쳐라. (Jeffers, 1987)

◎ 꿈을 꾸는 것을 스스로 허용하지 않는다면, 아무 것도 일어나지 않을 것이다.

◎ 삶에서 우리가 만들어내는 것은 무엇이든, 오믈렛이든 다국적 기업이든 연애 사건이든, 모두 마음속의 이미지로부터 시작된다. (Glouberman, 1989, p2)

◎ 포기하지만 않는다면 실패는 없다.

◎ 가장 찬란한 꿈을 꾸어라. 그리고 부득이한 경우에만 줄여가라.

◎ 꿈이 전부가 아니라 일부만 실현될 수도 있고, 처음 꿈과는 다른 방식으로 실현될 수도 있다. 이러한 일들을 눈여겨 지켜보라.

◎ 행동하기에 앞서 모든 상황이 완벽해질 때까지 기다린다면 결코 행동할 수 없을 것이다. (Brown, 1991, p104)

◎ 니체(1993, p23)는 '가만히 누워 생각을 내려놓는 것은 영혼의 병을 위한 가장 값싼 치료약이다'라고 말했다. 꿈꾸는 시간은 이처럼 엄청난 가치가 있다.

◎ 최초의 한두 가지 꿈이 실현되지 않았다고 해서, 또는 그것들이 실현될 것인지 기다려보지도 않고 인생의 꿈들을 포기하지는 말라.

◎ 살아있는 동안 삶이 끊임없이 제공하는 메뉴를 보면서 일생을 보낼지도 모른다. 그러면 삶이 끝날 무렵, 결정하느라 너무 바빠서 실제로는 어느 것도 추구하지 않았음을 깨달을 수도 있다.

◎ 꿈이 '나는 그것을 해야 해' 또는 '나는 오빠보다 영리해져야 해' 등과 같이 '해야 하는 것들'에만 마음을 쓴다면, 그것은 진정한 소망이 아니라 '의무'나 다름없기 때문에 흔히 용두사미로 끝난다. 많은 성인들이 저술이나 사업에 대한 아이디어를 끝맺거나 관철하지 못한다. 왜냐하면 그에 대한 진정한, 뜨거운 열정이 없기 때문이다.

예술작업을 활용하는 것은 아동이 꿈을 탐구하고 꿈의 뼈대에 살을 입히게 하는 좋은 방법이다. 그림이나 시 또는 모래놀이를 통해 꿈을 이미지로 만드는 것은 그냥 말만 하는 것보다 훨씬 더 강력한 효과를 갖는다. 그것은 비옥한 땅에 꿈의 씨앗을 뿌리고 싹틔우고 성장하게 하는 것과 같다. 예술이라는 형태로 선명한 이미지들을 만들어 꿈을 미리 연습해보는 것은 꿈에 힘을 불어넣는 것이다.

그림, 점토, 시와 같은 예술적인 표현들을 통해, 아동은 자신이 다른 장소에 있는 것처럼 생생하게 상상할 수 있으며 새로운 정서적 풍경들을 발견하게 될 것이다. 아동은 행위예술을 통해 새로운 삶의 방식을 실연해 보면서 다른 역할들을 시도해 볼 수 있을 것이다. 예를 들면 춤을 추고 음악을 연주할 때, 보다 역동적이고 자기 주장적인 방식으로 해보기도 하고, 보다 조용하고 중도적인 방식으로 해보기도 하면서 다양한 삶의 방식으로 옮겨가보는 경험을 할 수 있을 것이다. 사실은, 마음은 생생하게 실연되는 경험과 실제적인 경험 사이를 구별하지 못한다. 두 경우 모두 뇌에서는 동일한 정서화학 물질이 분비되기 때문이다. 글로버만은 다음과 같이 말한다. '에너지는 사고를 따른다는 것을 생각하라. 우리는 상상력이 만들어낸 통로를 따라가고 상상력이 만들어낸 사고에 우리를 맞춘다. 우리는 우리 자신이 상상하는 것에 주의를 기울일 필요가 있다. 왜냐하면 우리는 알지 못하는 사이에 우리가 상상하는 것이 될 수 있기 때문이다' (1989, p50).

예술 표현을 통해 꿈을 구체화시키는 데 도움이 될 수 있는 말들

시인은 '실현될 수 있는 일에 대한, 욕망에 대한, 그리고 경이로운 이야기에 대한 음악을 노래한다. 광활함과 기쁨을 향한 깃발이 거기서 휘날리게 하라.' (Heaney)

훌륭한 예술작품은 풍요롭고, 흘러넘치며, 취하게 하고, 밤새도록 우리와 함께 하며 막을 내릴 줄을 모른다 … 지치지 않는 예술의 에너지는 탈진한 세계에 수혈을 해준다. (Winterson, 1995, p65)

사람들은 지금의 자신과는 다른 존재방식을 상상하도록 스스로 허락할 필요가 있다. 바로 그 때 지금의 현실과 '마음에 품고 있는 자기'를 연결하는 다리가 만들어진다. (Clarkson, 1989, p106)

타고난 기질이 만들어낸 것 이상으로, 또는 지금까지 행운이 가져다준 것 이상으로, 새로운 감정과 낯선 기분 그리고 열정에 대한 보다 큰 집중력을 발견하게 되는 것은 개인이 창조한 요소들을 슬기롭게 다루는 것을 통해서이다. (Langer, 1953, p374)

예이츠는 우리가 한 가지 상상적인 비전에 완전히 초점을 맞출 수만 있다면, 그 비전은 반드시 실현될 것이라고 믿었다 … (McNiff, 1992, p223)

꿈과 희망을 갖지 못하는 아동을 위한 치료와 상담

> 치료는 우리의 짧은 삶을 열광적으로, 기쁨으로 충만하게, 그리고 우리가 가진 최상의 가능성을 한껏 펼치며 살게 한다. (Zinker, 1978, p19)

좌절하거나 희망을 잃은 아동은 훗날 행운을 만나더라도 그 행운을 활용하지 못한다. 왜냐하면 아무리 외부세계가 바뀌더라도 그는 항상 뿌리 깊은 패배감과 절망감을 자신의 내면세계에 가지고 있기 때문이다. 그런 아동이 외부세계를 활용하고, 그 안에서 흥분을 경험하고, 꿈을 따르기 위해서는 먼저 내면세계 안에서 변화가 일어나야 한다. 따라서 이러한 아동의 내면세계를 울리는 치료적인 개입, 치료적인 이야기가 전하는 깊은 심리적 메시지는 매우 중요하다. 효과적인 아동상담이나 치료는, 문제를 가진 아동이 자신의 가장 심층적이고 의미 있는 이미지를 가지고 내면세계를 깊이 탐구할 수 있도록 도울 것이다. 유능한 치료자와 함께라면, 아동은 대개 아주 강력한 시어로 이야기하기 시작한다. 효과적인 치료는 다른 상상의 세계를 마음 속에 그리는 능력을 강화시켜 꿈과 희망을 품도록 돕기 때문이다.

다른 사람의 꿈을 이루려는 아동이 자신의 진정한 자기와 다시 만나기 위해서는 상담이나 치료가 필요할 수 있다. 다른 사람이 자신에게 원하는 것에 대해서만 알고 있는 아동에게 치료는 자신이 진정으로 원하는 것이 무엇인지를 깨닫게 하는 출발점이 된다.

상담이나 치료는 의지가 꺾인 아동이 초기 유아기에 상실한 결단력과 욕구를 발견하도록 도울 수 있다. 효과적인 아동치료나 상담에서, 치료자의 창조성과 아동의 창조성이 공명하면서 가장 풍부한 상호작용을 가져온다. 이는 아동 자신의 창조적인 상상력에 꼭 필요한 자양분을 제공한다. 간단히 말해 치료는 희망을 잃어버린 아동에게, 지원해 주고 격려해주는 세상을 경험하게 함으로써 희망을 다시 발견하게 한다.

추천도서 한국심리치료 연구소

- **참자기**(제임스 F. 매스터슨, 2000)
- **그림놀이를 통한 어린이 심리치료**(도널드 위니캇, 1998)
- **놀이와 현실**(도널드 위니캇, 1997)
- **유아의 심리적 탄생**(마가렛 말러, 프렛 파인, 애니 버그만, 1997)
- **박탈과 비행**(도널드 위니캇, 2001)
- **성숙과정과 촉진적 환경**(도널드 위니캇, 2000)
- **울타리와 공간**(마델레인 데이비스, 데이빗 월브릿지, 2002)
- **살아있는 동반자**(앤 알바레즈, 2006)
- **교육, 허무주의, 생존**(데이빗 홀브룩, 2001)
- **신데렐라와 그 자매들**(앤 · 베리 울라노프, 1999)

참고문헌

Berne E, *1964, Games People Play, Grove Press*, New York.

Clarkson P, 1993, Personal communication.

Clarkson P, 1995, *Gestalt Counselling in Action*, Sage, London.

Davis M & Wallbridge D, 1981, *Boundary and Space: An Introduction to the Work of DW Winnicott*, Karnac/ Brunner Mazel, London/New York.
울타리와 공간, 한국심리치료연구소, 1997

Daws D, 1997, 'The Perils of Intimacy: Closeness and Distance in Feeding and Weaning', *Journal of Child Psychotherapy*, 23(2), pp179 - 99.

Freud S, 1926, '*Inhibitions, Symptoms and Anxiety*' pp237 - 333 in On *Psychopathology, Inhibitions, Symptoms and Anxiety*, Vol 10 of *The Penguin Freud Library* (Richards A & Strachey J eds, Strachey J, trans), Penguin, Harmondsworth.

Gersie A & King N, 1990, Storymaking in Education and Therapy, Jessica Kingsley, London.

Glouberman D, 1989, *Life Choices and Life Changes Through Imagework: The Art of Developing Personal Vision*, Unwin Hyman, London.

Glucksman M, 1987, 'Clutching Straws: An Infant's Response to Lack of Maternal Containment', *British Journal of Psychotherapy*, 3(4), pp347 - 49.

Jeffers S, 1987, *Feel the Fear and Do it Anyway*, Arrow, London.

Keenan B, 1992, *An Evil Cradling*, Vintage, London.

Khan M., 1989, *Hidden Selves: Between Theory and Practice*, Maesfield, London.

Langer SK, 1953, *Feeling and Form*, Scribner's, New York.

McNiff S, 1992, *Art As Medicine*, Piatkus, London.

Nietzsche F, 1993, *The Sayings of Friedrich Nietzsche* (ed Martin S), Duckworth, London.

Person ES, 1996, *The Force of Fantasy*, Harper Collins, London.

Rowan J, 1986, *Ordinary Ecstasy: Humanistic Psychology in Action*, Routledge & Kegan Paul, London.

Sunderland M, 1993, *Draw On Your Emotions*, Speechmark Publishing, Bicester.

Sunderland M, 2000, *Using Story Telling as a Therapeutic Tool with Children*, Speechmarrk Publishing, Bicester.

Thrail E, 1994, *Retrospect: The Story of an Analysis*, Quartet, London.

Winnicott DW, 1949, 'The World in Small Doses', reprinted in Winnicott DW, 1964, *The Child, the Family and the Outside World*, Penguin, London.

Winterson J, 1995, Art Objects, Jonathan Cape, London.

Yalom D I, 1980, *Existential Psychotherapy, Basic Books*, New York.

Zinker J, 1978, *Creative Process in Gestalt Therapy*, Vintage, New York.

마음이 아픈 아동을 위한 책

글 마곳 선더랜드, 그림 니키 암스트롱

아름다운 그림을 곁들인 다음 동화책들은 아동이 삶에서 겪는 문제들을 도와주기 위해 계획되었다. 동화에 나오는 이야기들은, 어린이들이 자신의 감정에 대해 느끼고 생각하도록 도와줄 것이다. 이 동화책들을 활용하기 위해서는 동화책마다 함께 곁들인 가이드북이 꼭 필요하다. 이 시리즈는 주로 아동을 대하는 전문가들을 위한 것이지만, 아동과 효과적으로 의사소통할 방법을 찾는 부모들에게도 매우 귀중한 자료가 될 것이다.

스토리텔링을 통한 어린이 심리치료

이 실용적인 지침서는 스토리텔링의 치료적 가치에 대한 철학적, 심리학적 근거로부터 시작한다. 이 책은 스토리텔링을 아동 심리치료에 활용하는 방법과, 아동이 이야기할 때 효과적으로 반응하는 방법을 소개하고 있다. 마음이 아픈 아동을 위한 책 시리즈에 필수적으로 포함되어야 하는 이 책은, 다음과 같은 주제들을 다루고 있다.

◆ 스토리텔링은 왜 마음이 아픈 아동을 돕는데 그토록 효과적인가

◆ 스토리텔링을 통한 심리치료에서는 어떤 자원들이 필요한가

◆ 아동을 위한 치료적 이야기를 어떻게 구성할 것인가

◆ 아동이 자신의 이야기를 들려줄 때는 어떻게 해야 하는가

◆ 아동의 이야기를 다룰 때 어떤 말을 하고 어떤 활동들을 할 수 있는가

132쪽, A4, 도판

너무 반듯한 죠

강박증에 시달리는 아동을 도우려면

윌리는 이 세상이 언제 무서운 일이 일어날지 모르는, 매우 안전하지 못한 곳이라고 생각하는 불안한 소년이다. 옆집에 사는 죠는 삶을 진정으로 즐기지 못하는, 지나치게 단정하고 틀에 박힌 소년이다. 윌리는 뭔가 확고한 것을 원하는 반면, 죠는 뭔가 흔들리는 것을 원한다. 어느 날 그들은 플롭 부인으로부터 그처럼 감정을 참고 살 필요가 없다는 말을 듣는다. 그녀의 충고에 따라 웅덩이 사람들을 찾아간 윌리와 죠는, 그들의 도움으로 굳어진 삶의 방식을 깨고 훨씬 풍요로운 삶의 방식을 발견하게 된다.

동화책: 32쪽, A4, full color
가이드북: 60쪽, A4, 도판

달님을 사랑한 프록이

그리움 속에 사는 아동을 도우려면

프록이는 달님이 미소 짓는 것을 한 번 보고는 그만 사랑에 빠져버렸다. 그 후로 그는 달님만을 바라보고 생각하며 모든 시간을 보냈다. 그는 달님이 다시 한 번 웃어주기를 기다리고 또 기다렸다. 그러던 어느 날, 친절하고 지혜로운 까마귀는 프록이가 얼마나 자신의 삶을 낭비하고 있는지 깨닫도록 도와준다. 마침내 프록이는 큰 결심을 하고 달님으로부터 고개를 돌린다. 그 때 그는 엄청난 공허감과 외로움을 느낀다. 그는 아직 자신의 반대쪽에 무엇이 있는지를 모르고 있었다. 주위를 둘러보았을 때, 그는 눈에 들어오는 모든 것으로부터 기쁨을 느꼈다. 그는 가망 없는 것을 얻기 위해, 너무나 많은 것들로부터 등을 돌리고 있었던 것이다.

동화책: 32쪽, A4, full color
가이드북: 48쪽, A4, 도판

마음을 숨기는 찬이

감정을 억누르는 아동을 도우려면

찬이는 어떤 일을 당해도 꿋꿋이 버틴다! 험한 일을 당할 때마다 그는 용감하게 '난 괜찮아'라고 말한다. 그는 온갖 좌절과 실망을 맛보고, 괴롭힘을 당하지만 그 때마다 감정을 억누르고는 버텨나간다. 그러나 그는 결국 너무 많이 억누른 감정의 덤불에 갇혀 꼼짝도 못하게 된다. 더구나 억눌렸던 감정들은 다른 사람들을 해치는 방식으로 새어나오기 시작한다. 다행히 그는 멧새의 도움으로, 감정이란 소중한 것이며 무시해서는 안 된다는 것을 알게 된다. 그리하여 찬이는 자신의 감정을 표현하는 방법과 자신을 옹호하는 방법을 배우게 된다.

동화책: 36쪽, A4, full color
가이드북: 48쪽, A4, 도판

꿈을 이룬 콩이

꿈과 희망을 잃은 아동을 도우려면

콩이는 꿈을 가진 완두콩이다. 그녀는 완두콩으로서 아주 멋진 삶을 살려는 꿈을 가지고 있다. 그러나 콩이에게 사람들은, 그녀는 그저 평범한 완두콩에 지나지 않기 때문에 그런 꿈을 갖는 것은 부질없는 짓이라고 말한다. 꿈을 접고 다른 완두콩들처럼 평범하게 산다는 것을 받아들일 수 없었던 콩이는, 그래서 몹시 외로운 길을 가게 된다. 그러던 중, 어떤 친절한 사람의 도움으로 콩이는 마침내 자신이 늘 꿈꾸어 왔던 것을 이루어낸다.

동화책: 28쪽, A4, full color
가이드북: 37쪽, A4, 도판

꼬마 깡패 아롬이

마음이 굳어진 아동을 도우려면

아롬이는 매우 사랑스럽고 마음이 따뜻한 아이였다. 그러나 누군가가 그만 그의 마음에 아주 심한 상처를 주었다. 그 상처가 너무나 아파서 그는 다시는 아무도 사랑하지 않기로 결심을 한다. 숲 속에서 만난 크고 거친 깡패 형들은, 그에게 더 이상 마음의 상처를 입지 않도록 마음을 단단하게 하는 방법을 가르쳐준다. 아롬이는 다른 사람을 괴롭히는 꼬마 깡패가 된다. 처음에 그는 아주 강력한 힘을 가진 것처럼 느끼지만, 점차 세상이 삭막한 회색빛으로 변해가는 것을 깨닫는다. 운 좋게도 아롬이는 들꽃과 동물친구들의 도움으로, 마음을 단단하게 만들지 않고도 자신을 보호할 수 있는 방법을 발견한다.

동화책: 44쪽, A4, full color
가이드북: 60쪽, A4, 도판

한국심리치료연구소

110-052 서울시 종로구 적선동
156번지 광화문 플래티넘 918호
Tel 02-730-2537~8
Fax 02-730-2539
www.orips.net